KT-116-411

Summaire   Contents

Les vêtements
Clothing

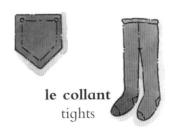
la poche
pocket

le collant
tights

le T-shirt
T-shirt

le sweat-shirt
sweatshirt

le col
collar

la chemise
shirt

l' anorak (m)
anorak

la manchette
cuff

le cache-oreilles
ear muffs

le capuchon
hood

le lacet
lace

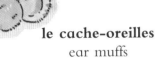

les bretelles (f)
braces

les tennis (f)
trainers

la manche
sleeve

le maillot de corps
vest

la chaussure
shoe

la moufle
mitten

le slip
pants

le gant
glove

FRENCH
First 1000 Words

Translated by
Jean-Luc Barbanneau

www.alligatorbooks.co.uk

About this book

This illustrated dictionary is ideal if you are just starting to learn French. You will find lots of clearly labelled thematic pictures. Match up the small drawings around the main pictures to help you learn when to use each French word.

Masculine and feminine words

In French, some words are masculine and some are feminine. There are different words for 'the':

le lapin   (masculine singular)
the rabbit
la maison   (feminine singular)
the house

When the word begins with a vowel (a, e, i, o, u), you use **l'** e.g. **l'orange**

All plural words have the same word for 'the':
les lapins   (masculine plural)
les maisons   (feminine plural)

Accents é à î ç

French vowels often have marks called accents above them, such as é, à or î. They are pronounced differently from vowels without accents. When you see the letter 'c' with an accent underneath it, for example, le maçon the 'c' is pronounced like the 's' in 'sock'.

Published by
Alligator Publishing Limited
2nd floor, 314 Regents Park Road,
London N3 2JX

Printed in China 0196

la robe de chambre
dressing gown

le cordon
cord

la robe-chasuble
pinafore dress

le nœud
bow

le ruban
ribbon

la boutonnière
buttonhole

le bouton
button

le gilet
cardigan

la fermeture Éclair
zip

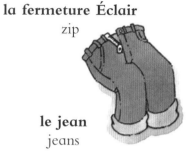

le jean
jeans

l'écharpe (f)
scarf

la chaussette
sock

la culotte
knickers

la sandale
sandal

la salopette
dungarees

la chaussure en toile
plimsole

la robe
dress

la jupe
skirt

la boucle
buckle

la ceinture
belt

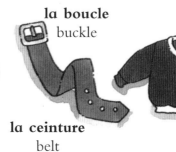

le pull
jumper

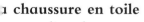

Dans la chambre
In the bedroom

la batte de base-ball
baseball bat

le cartable
satchel

l'oreiller (m)
pillow

la couette
quilt

la pantoufle
slipper

le justaucorps
leotard

le pyjama
pyjamas

le cerf-volant
kite

le xylophone
xylophone

l'échelle (f)
ladder

la boîte
box

le puzzle
jigsaw puzzle

le livre
book

la masison poupée
doll's house

6

le Thermos
Thermos flask

le bureau
desk

le cintre
hanger

le tambour
drum

le miroir
mirror

l'armoire (f)
wardrobe

le dessin
drawing

la bibliothèque
bookcase

le drap
sheet

la commode
chest of drawers

**les vêtements (m)
de poupée**
doll's clothes

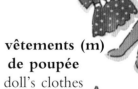

le petit train
train set

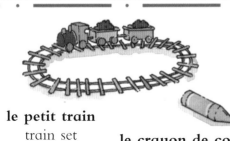

le crayon de couleur
crayon

la trousse
pencil case

le crayon
pencil

l'album (m) de coloriage
colouring book

le château
castle

7

Dans la salle de bain
In the bathroom

le savon
soap

le bonnet de douche
shower cap

le tapis de bain
bath mat

le gante de toilette
flannel

le shampooing
shampoo

le porte-serviette
towel rail

le panier à linge
laundry basket

le pèse-personne
bathroom scales

le rideau de douche
shower curtain

la douche
shower

la baignoire
bath

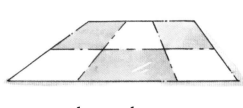
le carrelage
floor tile

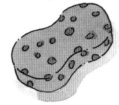
l'éponge (f)
sponge

8

le papier hygiénique
toilet paper

la lunette
toilet seat

l'aérateur (m)
fan

le coton
cotton wool

l'armoire (f) à pharmacie
cabinet

le dentifrice
toothpaste

la brosse à dents
toothbrush

le gobelet
beaker

le robinet
tap

le miroir
mirror

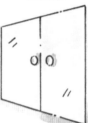
le porte-savon
soap dish

la serviette de bain
bath towel

le marchepied
stool

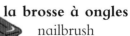
la brosse à ongles
nailbrush

les toilettes (f)
toilet

la lavabo
washbasin

Dans la cuisine
In the kitchen

le réfrigérateur
fridge

le congélateur
freezer

la machine à laver
washing machine

la bonde
plug

l'assiette (f)
plate

la cuisinière
cooker

le four
oven

la cuillère
spoon

la lumière
light

la fourchette
fork

le couteau
knife

la table
table

le saladier
bowl

le carrelage
tile

le robinet
tap

l'évier (m)
sink

l'égouttoir (m)
draining board

le grille-pain
toaster

la tasse
cup

la poubelle
rubbish bin

l'horloge (f)
clock

la poêle
frying pan

le pichet
jug

le placard
cupboard

le plan de travail
worktop

le store
blind

le tabouret
stool

la boîte à biscuits
biscuit tin

le tiroir
drawer

la fenêtre
window

11

Dans la salle de séjour
In the living room

la peinture
painting

l'antenne (f)
aerial

le magazine
magazine

la tringle à rideau
curtain pole

le rideau
curtain

le rebord de fenêtre
windowsill

la photographie
photograph

le bougeoir
candlestick

la guitare
guitar

la carpette
rug

la bande dessinée
comic

le feu
fire

le fauteuil
armchair

le magnétoscope
video recorder

la télévision
television

le garde-feu
fireguard

la radio
radio

le radiateur
radiator

le téléphone
telephone

la table basse
coffee table

le vase
vase

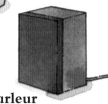

le haut-parleur
loudspeaker

le tourne-disque
record player

le magnétophone
tape recorder

le lecteur laser
compact disc player

la télécommande
remote control

l'abat-jour (m)
lampshade

la lampe
lamp

le dessus de cheminée
mantlepiece

la cheminée
fireplace

le tapis
carpet

le fauteuil à bascule
rocking chair

le canapé
settee

le journal
newspaper

La nourriture
Food

le fromage
cheese

la soupe
soup

le sucre
sugar

le raisin
grape

la poire
pear

les frites (f)
chips

le hamburger
hamburger

l'huile (f)
oil

les spaghettis (m)
spaghetti

la viande hachée
mince

le poivre
pepper

le sel
salt

l'épice (f)
spice

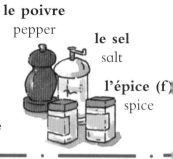

l'œuf (m)
egg

le café
coffee

la confiture
jam

les chips (f)
crisps

le miel
honey

14

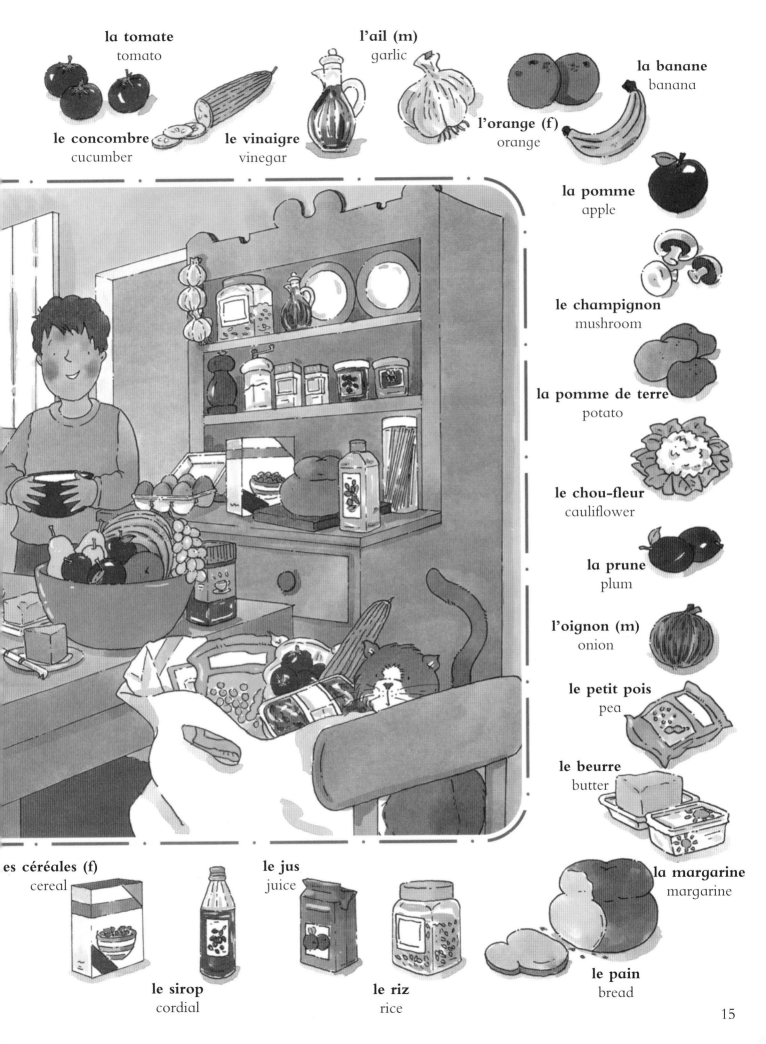

la tomate
tomato

l'ail (m)
garlic

la banane
banana

le concombre
cucumber

le vinaigre
vinegar

l'orange (f)
orange

la pomme
apple

le champignon
mushroom

la pomme de terre
potato

le chou-fleur
cauliflower

la prune
plum

l'oignon (m)
onion

le petit pois
pea

le beurre
butter

es céréales (f)
cereal

le jus
juice

la margarine
margarine

le sirop
cordial

le riz
rice

le pain
bread

15

Les animaux familiers
Pets

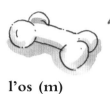
l'os (m)
bone

la litière
bedding

le bec
beak

le barreau
bar

la cage du hamster
hamster house

le hamster
hamster

les algues (f)
seaweed

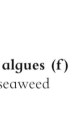

le grillage
wire netting

la gamelle
food bowl

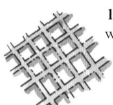

la queue
tail

le chiot
puppy

la roue
wheel

la gourde
water bottle

le tube
tube

16

la nourriture pour chiens et chats
pet food

le lapin
rabbit

le cochon d'Inde
guinea pig

le clapier
hutch

la cage
cage

la gerbille
gerbil

le nichoir
nesting box

le chaton
kitten

la fourrure
fur

la tortue
tortoise

le perroquet
parrot

l'aile (f)
wing

la griffe
claw

la patte
paw

la perruche
budgerigar

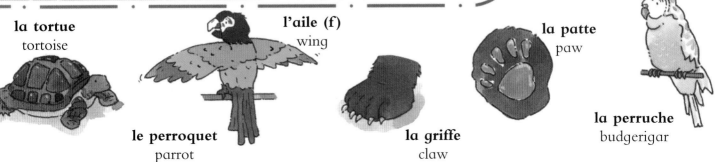

Le jeu
Play

les patins (m) à roulettes
roller skates

le parachute
parachute

la bande
bandage

le vaisseau spatial
spacecraft

le skate-board
skateboard

**la tenue
de cow-boy**
cowboy outfit

la corde à sauter
skipping rope

le ballon de football
football

l'arche (f) de Noé
Noah's ark

le gobelet
beaker

le dé
dice

le jeu de société
board game

la bille
marble

le yo-yo
yo-yo

l'arc (m)
bow
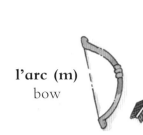

le tableau noir
chalkboard

la flèche
arrow

la craie
chalk

le Légo
Lego

la cible
target

la pâte à modeler
modelling clay

la tente
tent

la marionnette à gaine
glove puppet

la montre
watch
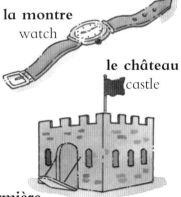

le château
castle

le stéthoscope
stethoscope

la sacoche de médecin
doctor's bag

la tenue de médecin
doctor's outfit

la tenue d'infirmière
nurse's outfit

la ferme miniature
toy farm

19

Dans le jardin
In the garden

le tuyau d'arrosage
hose

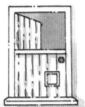
**la porte
de derrière**
backdoor

la marche
step

la chatière
cat flap

le tricycle
tricycle

la plate-bande
flower bed

la bordure
border

la pelouse
lawn

la mangeoire
bird table

la cacahuète
peanut

**la noix
de coco**
coconut

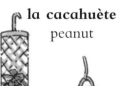

la souche d'arbre
tree stump

le pissenlit
dandelion

le mur
wall

le balai
broom

la fourche
garden fork

la botte
boot

la mauvaise herbe
weed

la famille
family

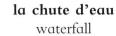
la chute d'eau
waterfall

le jardin de rocaille
rock garden

le nénuphar
waterlily

le jardin sauvage
wild garden

les oiseaux (m) du jardin
garden birds

la cabane
shed

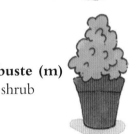
l'arbuste (m)
shrub

l'allée (f)
terrace

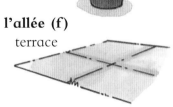

la tondeuse
lawnmower

le râteau
rake

le déplantoir
trowel

la pelle
spade

le pot de fleurs
flowerpot

la jardinière
window box

21

À l'école
At school

la feuille
leaf

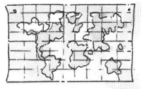

la carte
map

le lecteur (m)
la lectrice (f)
reader

l'ordinateur (m)
computer

le porte-manteau
peg

le manteau
coat

le coin nature
nature table

le coffre à jouets
toy box

la corbeille à papier
wastepaper bin

l'argile (f)
clay

la peinture
paint

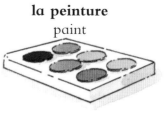

le pinceau
paintbrush

le fossile
fossil

la punaise
drawing pin

le panneau d'affichage
pinboard

la gomme
rubber

les ciseaux (m)
scissors
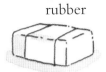

l'instituteur (m)
l'institutrice (f)
teacher

la brosse à colle
pasting brush

la règle
ruler

la colle
paste

le support visuel
visual aides

la bibliothèque
library

le jeu
de construction
building block
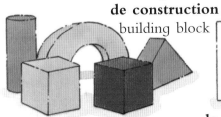

le diagramme
chart
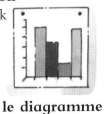

la maquette
cardboard model

l'alphabet (m)
alphabet
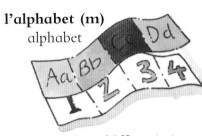

les chiffres (m)
numbers

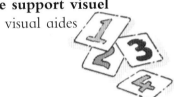

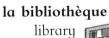

23

Au parc
In the park

le café
café

le landau
pram

la pente
slope

le court de tennis
tennis court

le hochet
rattle

le bébé
baby

la poussette
pushchair

le manège
roundabout

**la cage
à poules**
climbing frame

le toboggan
slide

l'aire de jeu (f)
playground

la balançoire
seesaw

le bac à sable
sandpit

la laisse
lead

le pigeon
pigeon

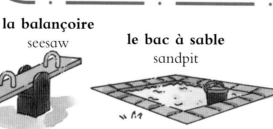

la balle de tennis
tennis ball

24

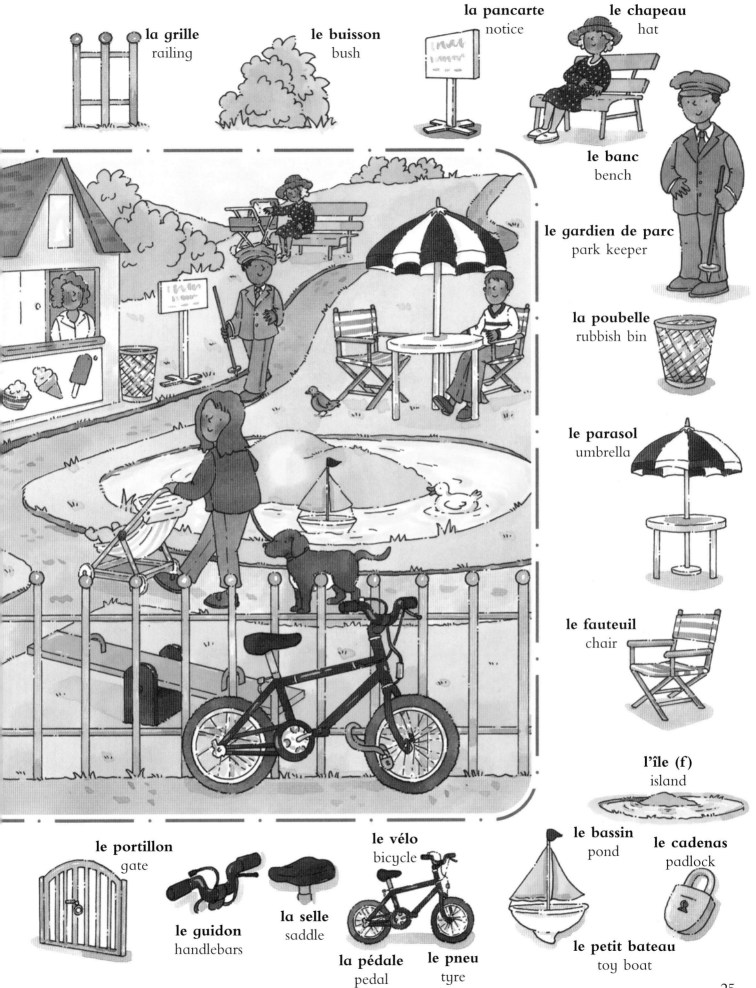

la grille
railing

le buisson
bush

la pancarte
notice

le chapeau
hat

le banc
bench

le gardien de parc
park keeper

la poubelle
rubbish bin

le parasol
umbrella

le fauteuil
chair

l'île (f)
island

le bassin
pond

le cadenas
padlock

le portillon
gate

le guidon
handlebars

la selle
saddle

le vélo
bicycle

la pédale
pedal

le pneu
tyre

le petit bateau
toy boat

25

Le chantier
On the building site

l'échafaudage (m)
scaffolding

le camion-benne
tipper truck

le goudron
tarmac

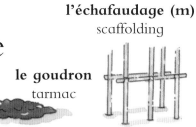

la tour
tower block

la pelleteuse
digger

le rouleau
steamroller

le compresseur
compressor

le chargeur
loader

le maçon
bricklayer

la brique
brick

le dumper
dumper truck

la brouette
wheelbarrow

la roue
wheel

26

le marteau pneumatique
pneumatic drill

le charpentier
carpenter

le camion malaxeur
concrete mixer

la grue
crane

le casque de sécurité
safety hat

la combinaison
overalls

le maçon
builder

la benne
skip

le sable
sand

le toit
roof

le pare-brise
windscreen

le volant
steering wheel

le bulldozer
bulldozer

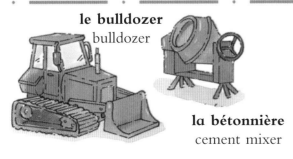

la bétonnière
cement mixer

**la voiture
de pompiers**
fire engine

la semi-remorque
articulated lorry

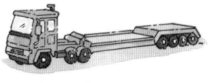

À la ville
In the town

le passage pour piétons
zebra crossing

l'hôtel (m) de ville
town hall

le réverbère
lamp post

l'ambulance (f)
ambulance

l'hôpital (m)
hospital

le voiture
car

**l'agent
de police (m)**
police officer

**le contractuel (m)
la contractuelle (f)**
traffic warden

les feux (m)
traffic lights

le fauteuil roulant
wheelchair

la station-service
petrol station

le pompe à essence
petrol pump

le camion
truck

le conducteur d'autobus
bus driver

l'autobus (m)
bus

la maison
house

l'arrêt (m) d'autobus
bus stop

le poteau télégraphique
telegraph pole

le garage
garage

l'abri (m)
shelter

le laveur de vitres
window cleaner

le parking
car park

la banque
bank

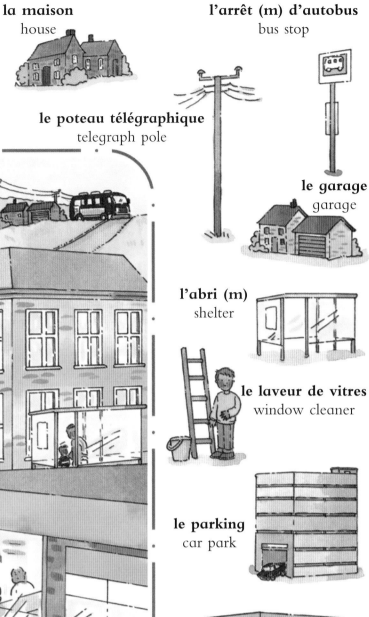

le magasin
shop

le magasin de jouets
toy shop

le facteur
postman
postwoman

le taxi
taxi

le supermarché
supermarket

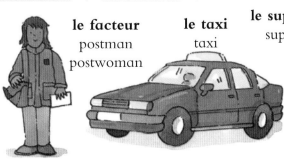

le trottoir
pavement

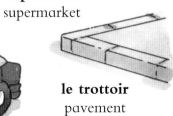

À la ferme
On the farm

le foin
hay

le fossé
ditch

le poulain
foal

le cheval
horse

le taureau
bull

la porcherie
pig sty

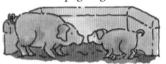

le cochon
pig

le porcelet
piglet

la grange
barn

l'auge (f)
trough

le chien de berger
sheepdog

le fermier
farmer

la vache
cow

le veau
calf

l'oie (f)
goose

l'oison (m)
gosling

l'écurie (f)
stable

l'épouvantail (m)
scarecrow

la remorque
trailer

la poule
hen

le poulailler
hen house

le tracteur
tractor

le poussin
chick

l'étable (f)
cowshed

le mur
wall

la barrière
gate

le verger
orchard

l'échelle (f)
ladder

le mouton
sheep

le camion
truck

le caneton
duckling

l'agneau (m)
lamb

le canard
duck

la mare aux canards
duck pond

la cour de ferme
farmyard

31

Les voyages
Travelling

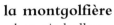

la montgolfière
hot air ballon

le voilier
sailing boat

le lac
lake

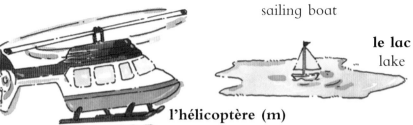

l'hélicoptère (m)
helicopter

la voile
sail

le yacht
yacht

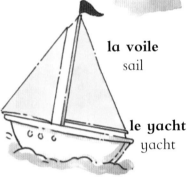

le canoë
canoe

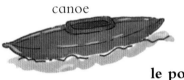

le pont
bridge

le tunnel
tunnel

la voiture
car

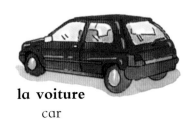

la péniche
canal boat

le canal
canal

la rame
oar

l'avion (m)
aeroplane

le ferry
ferry boat

la pale du rotor
rotor blade

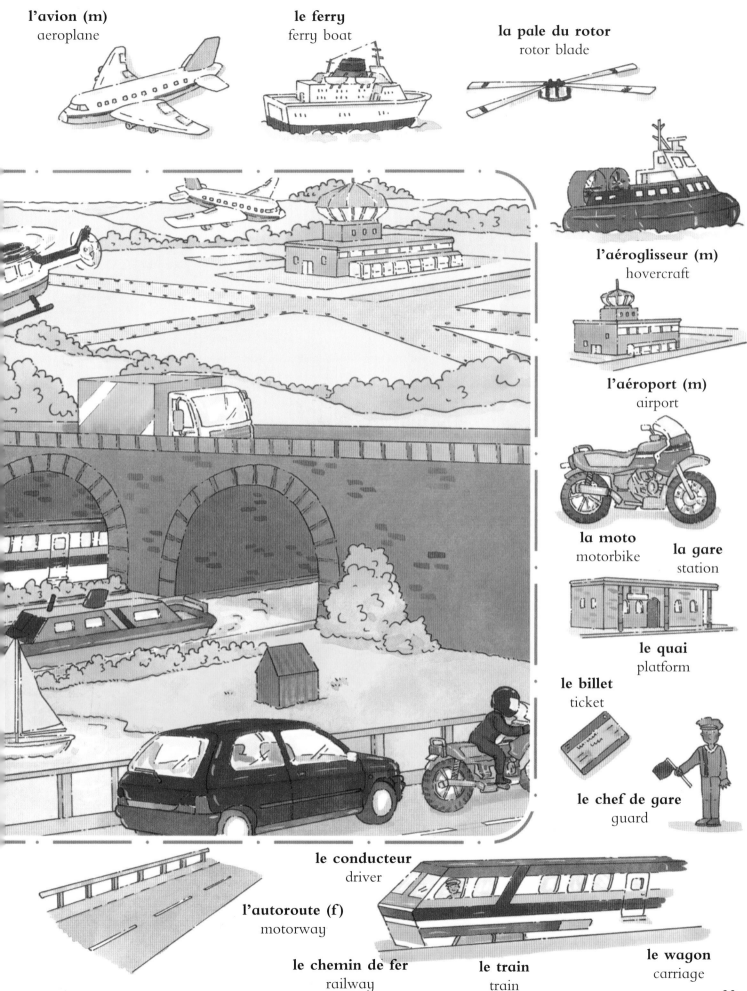

l'aéroglisseur (m)
hovercraft

l'aéroport (m)
airport

la moto
motorbike

la gare
station

le quai
platform

le billet
ticket

le chef de gare
guard

le conducteur
driver

l'autoroute (f)
motorway

le chemin de fer
railway

le train
train

le wagon
carriage

À la plage
On the beach

la mer
sea

la falaise
cliff

la chaise longue
deckchair

la plage
beach

le coupe-vent
windbreak

l'hôtel (m)
hotel

le lait solaire
suntan lotion

les lunettes (f) de soleil
sunglasses

la serviette de plage
beach towel

le seau
bucket

la pelle
spade

le ballon de plage
beach ball

le panier de pique-nique
picnic basket

les algues (f)
seaweed

la crevette
shrimp

le tuba
snorkel

les lunettes (f) de plongée
goggles

le brassard de sauvetage
armband

34

la glace
ice-cream

la jetée
pier

l'épuisette (f)
net

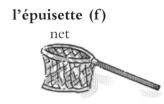

le galet
pebble

le coquillage
shell

le château de sable
sandcastle

les douves (f)
moat

le drapeau
flag

la vague
wave

le phare
lighthouse

la planche à voile
windsurfer

la planche de surf
surfboard

la palme
flipper

la mouette
seagull

le canot à moteur
motor boat

le gilet de sauvetage
lifejacket

le voilier
sailing boat

le mât
mast

Sous l'eau
Underwater

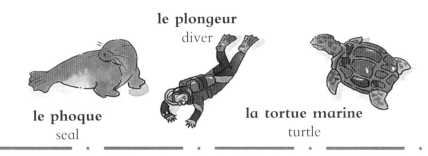

le phoque
seal

le plongeur
diver

la tortue marine
turtle

le dauphin
dolphin

la raie
ray fish

l'hippocampe (m)
seahorse

le corail
coral

**le banc
de poissons**
shoal
of fish

le morse
walrus

l'étoile (f) de mer
starfish

le trésor
treasure

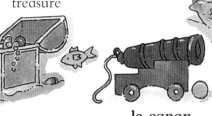

la crevette
shrimp

la palourde
clam

l'épave (f)
wreck

le canon
cannon

le scaphandre autonome
aqualung

le masque de plongée
face mask

la torche
torch

la baleine
whale

la combinaison de plongée
wet suit

la pieuvre
octopus

la tentacule
tentacle

la ventouse
sucker

l'anémone (f) de mer
sea anemone

la grotte
cave

l'espadon (m)
swordfish

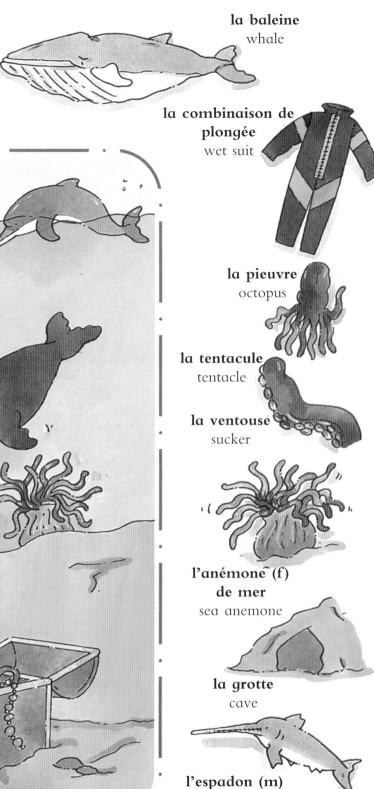

la nageoire
fin

le homard
lobster

la méduse
jellyfish

l'huître (f)
oyster

l'anguille (f)
eel

le requin
shark

Les animaux sauvages
Wild animals

le singe
monkey

l'hippopotame (m)
hippopotamus

le serpent
snake

la chèvre
goat

le zèbre
zebra

le kangourou
kangaroo

la girafe
giraffe

le pélican
pelican

la corne
horn

le lézard
lizard

le rhinocéros
rhinoceros

le lion lion **la lionne** lioness

le lionceau lion cub

le chameau camel

l'alligator (m) alligator

les bois (m) antlers

le cerf deer

le guépard cheetah

le tigre tiger

le lama llama

l'autruche (f) ostrich

l'éléphant (m) elephant

la défense tusk

la trompe trunk

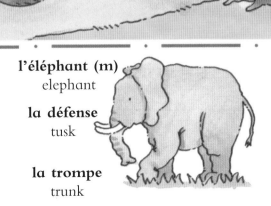

le camion van

le léopard leopard

le flamant flamingo

La fête
The party

le magicien
magician

le colis
parcel

la baguette magique
magic wand

la grande cape
cloak

la paille
straw

le gâteau
cake

la guirlande électrique
fairy lights

le hot-dog
hot dog

le ballon
balloon

la bougie
candle

l'assiette (f) en carton
paper plate

le gobelet en carton
paper cup

la serviette en papier
paper napkin

la nappe
tablecloth

40

le noeud
bow

la carte
card

le sifflet en papier
party blower

la couronne en papier
paper hat

le serpentin
streamer

le ruban
ribbon

la robe de fête
party dress

le diablotin
cracker

la guirlande de papier
paper chain

la fleur en papier
paper flower

la boisson
drink

le chapeau haut-de-forme
top hat

le mouchoir
handkerchief

le cadeau
present

Le monde des histoires
World of stories

le dragon
dragon

la lune
moon

le gnome
gnome

les spectateurs (m)
audience

l'épeé (f)
sword

le bouclier
shield

le panache
plume

le casque
helmet

l'armure (f)
armour

le chevalier
knight

la reine
queen

le roi
king

le pirate
pirate

le sorcier
wizard

le chaudron
cauldron

le monstre
monster

le hibou
owl

le clown
clown

le château
castle

le fantôme
ghost

la fée
fairy

le géant
giant

le bouffon
jester

la licorne
unicorn

la couronne
crown

le prince
prince

la princesse
princess

le manche à balai
broomstick

la sorcière
witch

le champignon vénéneux
toadstool

la maquillage
make-up

le bois enchanté
enchanted wood

Les formes et les couleurs
Shapes and colours

gros (m)/grosse (f)
fat

mince
thin

le sommet
top

le bas
bottom

en haut
up

en bas
down

étroit (m)/étroite (f)
narrow

large wide

joyeux (m) / joyeuse (f)
happy

triste
sad

dur (m)/dure (f)
hard

mou (m)/molle (f)
soft

neuf (m)/neuve (f)
new

vieux (m) / vieille (f)
old

orange
orange

vert (m)/verte (f)
green

violet (m)/violette (f)
purple

rose
pink

gris (m)/grise(f)
grey

blanc (m)/blanche(f)
white

jaune
yellow

bleu (m) /
bleue (f)
blue

noir (m)/noire (f)
black

marron
brown

rouge
red

le rectangle
rectangle

le carré
square

l'étoile
star

le cercle
circle

la sphère
sphere

le cube
cube

le triangle
triangle

court (m)/courte (f)
short

grand (m)/grande (f)
tall

petit (m)/petite (f)
short

long (m)/longue (f)
long

l'arc-en-ciel (m)
rainbow

45

Les saisons
Seasons

la luge
sledge

le bonhomme de neige
snowman

le flocon de neige
snowflake

l'arbre vert (m)
evergreen tree

la neige
snow

la branche
branch

la boule de niege
snowball

le nid
nest

les fleurs (f)
blossom

l'agneau (m)
lamb

l'averse (f)
rain shower

le printemps
spring

l'été (m)
summer

l'automne (m)
autumn

l'hiver (m)
winter

le bourgeon
bud

le crocus
crocus

la jonquille
daffodil

la primevère
primrose

la rivière
river

la rive
river bank

le roseau
reed

la barque
rowing boat

le pêcheur
angler

le pique-nique
picnic

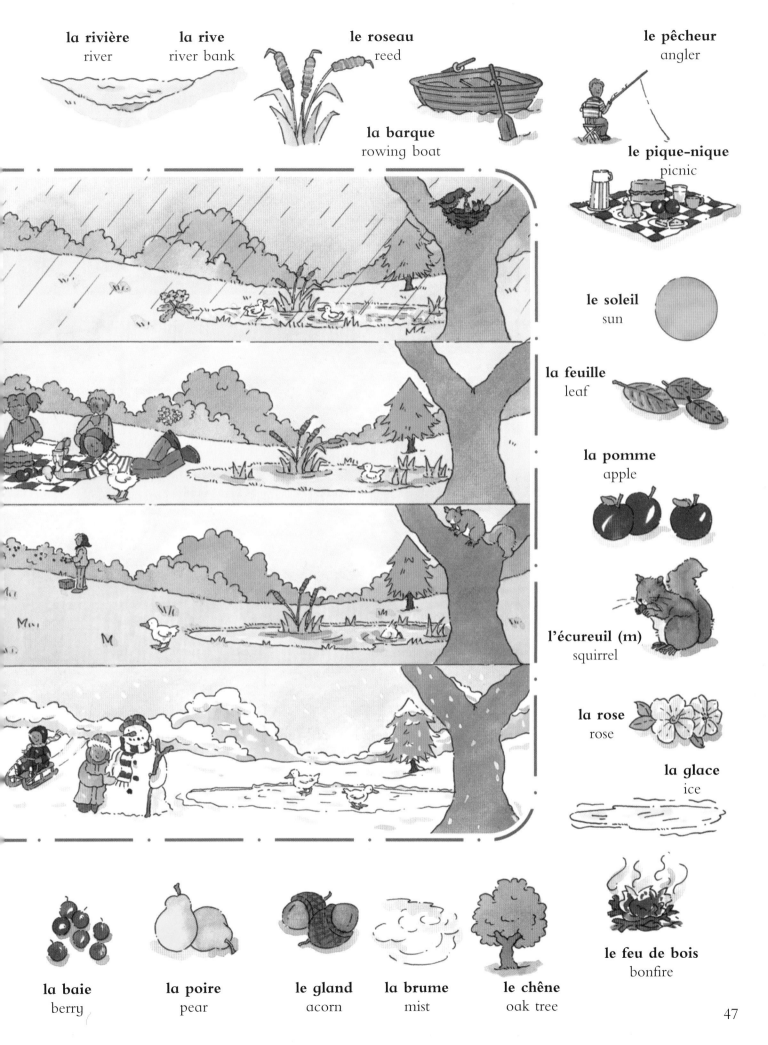

le soleil
sun

la feuille
leaf

la pomme
apple

l'écureuil (m)
squirrel

la rose
rose

la glace
ice

le feu de bois
bonfire

la baie
berry

la poire
pear

le gland
acorn

la brume
mist

le chêne
oak tree

Les jours de la semaine
Days of the week

lundi	**mardi**	**mercredi**	**jeudi**	**vendredi**
Monday	Tuesday	Wednesday	Thursday	Friday

samedi	**dimanche**	**le weekend**
Saturday	Sunday	the weekend

Les mois de l'année
Months of the year

janvier	**avril**	**juillet**	**octobre**
January	April	July	October
février	**mai**	**août**	**novembre**
February	May	August	November
mars	**juin**	**septembre**	**décembre**
March	June	September	December

1	2	3	4	5	6	7	8	9	10
un	deux	trois	quatre	cinq	six	sept	huit	neuf	dix

11	12	13	14	15	16	17	18	19	20
onze	douze	treize	quatorze	quinze	seize	dix-sept	dix-huit	dix-neuf	vingt

21	22	23	24	25
vingt et un	vingt-deux	vingt-trois	vingt-quatre	vingt-cinq

30	40	50	60	70	80	90
trente	quarante	cinquant	soixante	soixante-dix	quatre-vingts	quatre-vingt-dix

100	1,000	1,000,000
cent	mille	million